人类还可以进化吗？

科学はこのままでいいのかな

[日]中村桂子 / 著

杨柳岸 / 译

贵州出版集团
贵州人民出版社

KAGAKU HA KONOMAMADE IINOKANA by Keiko Nakamura

Illustrated by Toshinori Yonemura

Copyright © Keiko Nakamura, 2022

Original Japanese edition published by Chikumashobo Ltd.

This Simplified Chinese edition published by arrangement with Chikumashobo Ltd., Tokyo, through Tuttle-Mori Agency, Inc.

Simplified Chinese translation copyright © 2025 by United Sky (Beijing) New Media Co., Ltd.

All rights reserved.

著作权合同登记号 图字：22-2024-071 号

图书在版编目（CIP）数据

人类还可以进化吗？ /（日）中村桂子著；杨柳岸译 . – 贵阳：贵州人民出版社，2025. 1. –（Q 文库）. – ISBN 978-7-221-18806-9

Ⅰ . Q981.1-49

中国国家版本馆 CIP 数据核字第 2024L9J655 号

RENLEI HAI KEYI JINHUA MA ？

人类还可以进化吗？

[日] 中村桂子 / 著

杨柳岸 / 译

选题策划	轻读文库	出 版 人	朱文迅	
责任编辑	左依袆	特约编辑	李芳铃	

出　版	贵州出版集团　贵州人民出版社
地　址	贵州省贵阳市观山湖区会展东路 SOHO 办公区 A 座
发　行	轻读文化传媒（北京）有限公司
印　刷	北京雅图新世纪印刷科技有限公司
版　次	2025 年 1 月第 1 版
印　次	2025 年 1 月第 1 次印刷
开　本	730 毫米 × 940 毫米　1/32
印　张	3.375
字　数	62 千字
书　号	ISBN 978-7-221-18806-9
定　价	25.00 元

关注轻读

客服咨询

目录

前言　让我们在科学课上思考如何生活吧　　　　　　1

第 1 章　20 世纪最伟大的科学发现之一：
　　　　基因的本质是 DNA　　　　　　　9

第 2 章　人类是生物　　　　　　　23

第 3 章　从生命科学到生命志　　　　　　33

第 4 章　解明现代社会的问题点　　　　　　45

第 5 章　便利真的很好……吗?　　　　　　59

第 6 章　思考进化，而不是进步　　　　　　67

第 7 章　让我们向生物学习，活出自己的样子吧　　79

第 8 章　从现在开始，向生物学习　　　　　　93

前言
让我们在科学课上思考如何生活吧

科学是我们在科学课上学习的内容。它被认为是一门通过自然观察和实验来阐明自然界中存在的事实，并将所获得的成果作为科学技术加以活用，以之丰富我们的生活的学科。特别是在当今的日本，科学被认为是为科学技术服务的，有助于经济振兴。科学确确实实具有这些作用。

一直以来，我学习并研究的都是科学中的"生命科学"。在医学方面，生命科学可以阐明病因，有助于研发治疗方法；在农业方面，它可以改良农作物和家畜的品种；在寻求环境保护的对策方面，它也被社会寄予了厚望。不过，在思考生命科学时，我觉得有必要问一个基本问题，那便是"活着究竟是怎么一回事？"。在思考这个问题的过程中，我意识到一个显而易见的事实——我自己也是一个生命体。我开始认为重要的不仅是让生命科学的成果助推技术发展，更要将其应用于"如何活着"这个问题上。人类原本就是会思考"我是什么？""我应该如何活着？"这类问题的存在。

如果每天都只想着这些问题，人是无法生活下去的，但应该也没有人从不思考这些问题吧。思考这些问题时，人们除了参考与国语课相关的文学及哲学书籍外，也会参考自己选择的宗教和伦理类书籍。这是再正常不过的了。

与之不同的是，本书想传达：我们就要在科学课上思考我是怎样的存在，该如何活着才好。正如前面提到的，很多人认为科学可以带动新技术的发展，但以之思考"我是什么？""我应该如何活着？"这类问题的人并不多。不过，我认为，如今科学界正在发生的事情对于思考我们今后的生活方式及社会状态是非常重要的。我将其概括为以下三点。

① 20世纪中叶，科学阐明了人类是生物，因而是自然的一部分的事实。

② 因此，我们能够以生物科学所揭示的内容为基础来思考如何生活了。

③ 然而，科学虽然是门重要的学问，但并不能告诉我们一切。也就是说，我们不能简单地认为"科学的＝正确的"，对于不懂的地方仍有必要仔细思考。

看到①的"人类是生物，因而是自然的一部分"这一表述时，几乎所有人都会想"那不是理所当然的吗？谁都知道的吧。现在就算不讲也……"的吧。是啊，哪怕是问幼儿园的小朋友"人是生物吗？"他们也会说"是的哦，这不是确定的事情吗？"不管是问生活在小地方的老人，还是都市高楼大厦中在电脑前工作的年轻人，也都会得到相同的答案吧。大家都认为这是理所当然的事。如果问"蚂蚁也同样是生物吗？"他们也会回答"当然是的"吧。蚂蚁和人类是同为生物的伙伴。

不过，如果用同样的问题问科学家会怎样呢？现在科学家们可以回答"当然"，但时间倒流回100年前，那时的人们还只能回答"尚无法证明"。因为当时还没有令大家都信服的科学事实，可以揭示蚂蚁和人类拥有明确的共通性。具体是怎么一回事呢？让我们回顾历史吧。

◆ 生物研究的历史

早在人类诞生以前，地球上就已经有其他生物存在了，因此我们一直生活在多种多样的生物之中，并与大家分享着"活着"的感觉。正如我最初提到的，人是会思考的存在，所以收集并分类各种生物的"博物学"诞生了。在进行各种调查的过程中，人类开始逐渐去更远处寻找，想看看是否存在更稀有的物种，足迹甚至抵达了南方的岛屿。为了解多样性而朝向外部、更外部出发，让我们称之为"宏观航海"吧。

另一方面，如果人们对捕获的动物进行解剖，就会发现它们之间的共通性，比如都拥有心脏和肺。这与解剖学和生理学密切相关。可以说，这是向着身体内部、更内部进行"微观航海"的学问。请参见后文图1。

虽然多样性和共通性在了解生物时都很重要，但探究两者的学科却毫无关联地各自发展着。

到了17世纪，现代科学在欧洲兴起，与此同时，生物研究也不断发展。在这一时期，显微镜尤其发挥了重要作用。如果用显微镜观察软木塞，会发现画面中排列着大小相同的"房间"，科学家们将之命名为"cell"（意为小房间），即细胞。后来的研究还发现，不仅植物，动物也是由细胞构成的，当然这是19世纪的事了。在多样的生物中发现了奇妙的共通性，这是科学史上的重大发现。再后来的研究还表明，包括细菌在内的所有生物都是由细胞构成的。

来到19世纪，重大发现相继出现。这里无论如何也必须提到的是孟德尔发现遗传定律和达尔文出版《物种起源》。大家都知道孟德尔吧。他通过研究豌豆发现了存在将亲本性状遗传给后代的因子（element），这个因子后来被叫作基因（gene）。达尔文的名字相信大家也不陌生，他在《物种起源》一书中提出了进化论，表明了各种生物是通过自然选择进化而来的。这里重要的是，虽然生物是多种多样的，但它们都通过进化这一形式互相联系着。

你注意到了吗？自人类诞生以来的很长一段时间里，虽然大家都意识到了生物的多样性和共通性，与

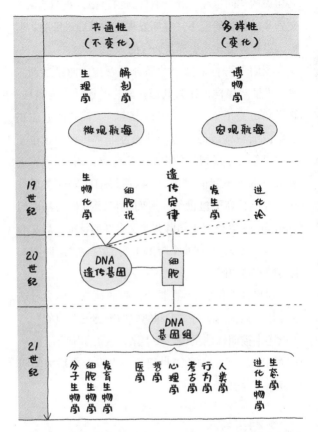

	共通性 （不变化）	多样性 （变化）
	生理学　解剖学 （微观航海）	博物学 （宏观航海）
19世纪	生物化学　细胞说　遗传定律	发生学　进化论
20世纪	DNA 遗传基因 — 细胞	
21世纪	DNA 基因组 分子生物学　细胞生物学　发育生物学　医学　哲学　心理学　考古学　行为学　人类学	生态学　进化生物学

图1 用于了解生物的"多样性"和"共通性"一直是被分开研究的。到了19世纪，细胞、基因和进化被发现，生物化学得到了发展，多样的生物之间的共通性逐渐被揭示。DNA揭示了共通性，而当我们用基因组的视角来理解基因时，便将多样和共通联系在了一起。让我们在下一章以及之后的章节中了解具体内容吧。

之相关的学问也在发展，但直到19世纪，我们才从上文列举的各种研究中，逐渐发现生物是通过细胞、遗传、进化等形式来展现共通性的。

我们不再将多样和共通分开看待，而是逐渐采取了"虽然多样，亦为共通；虽为共通，亦为多样"的视角。为了更好地理解这一点，关注"所有生物都是由细胞构成的"这一共通性非常重要，这也正是19世纪科学所揭示的内容。实际上，图1为大家展示了非常了不起的进展：DNA使得彻底研究共通性成为可能。到了21世纪，人们又将DNA作为基因组（genome）来研究生物既共通又多样的特征。后文会进一步讨论关于20世纪与21世纪的内容，届时我们会再回到这幅图。

如果查看图1，一直看到细胞的地方，你会对这点一目了然。但此时"人和蚂蚁的细胞是共通的"这一点还未被明确地呈现。接下来，我们将充分了解从生物科学急速发展的20世纪迈向21世纪之后被阐明的事。

◆ 科学与人

让我们先在这里思考一下③的内容吧。

读理科教科书的时候，大家会想理解书里所写的科学事实吧。可能也会有人想着先记住内容再说，如果想在考试中取得好成绩，这或许也是不错的方法。

那么阅读小说时又是怎样的呢？与尝试理解或记忆会稍有不同吧。如果是恋爱小说，你或许会怦然心动，会边读边思考如果换作自己会怎么做，还会对不理解主人公的身边之人感到生气吧。也就是说，会结合自己的生活方式想这想那。

科学是人们的思考对象，与我们的生活方式息息相关。因此，在本书中，我们会将科学与人类的生活方式及社会状况联系起来进行思考。正如我在开头所提到的，我现在想将科学阐明的事实与我们的生活方式相联系。因为我之前没有做过这样的尝试，所以不知道能否顺利。但是因为这很重要，所以我想迎接挑战，也请大家和我一起加入这新的尝试。

第1章

——

20世纪最伟大的
科学发现之一：
基因的本质是DNA

了解真相的困难

本章标题中的"基因的本质是DNA"借用了日本高中教科书里的表达。虽然孟德尔揭示了基因的存在，但他并没有明确解释基因到底是什么，存在于哪里。现在我们知道基因的本质是DNA，这也是每一位生物专业的学生所必学的内容。

教科书会描绘DNA的双螺旋结构，还会进一步说明：DNA里有腺嘌呤、胸腺嘧啶、鸟嘌呤、胞嘧啶这四种碱基。这些碱基的排列顺序决定了蛋白质中氨基酸的排列顺序，从而影响基因的作用。这些在教科书中已经写得很详细了，这里便不再赘述。总之，生命体是由细胞构成的，细胞内的DNA起着基因的作用，这可以说是如今大多数人的常识。

如果一本与科学相关的书中写着"基因的本质是DNA"，谁都会认为这是一个事实，很少有人会认为这里面有一个故事吧。而如果读到夏目漱石的小说开头——"我是猫"（书名与之相同），大家则都会思考这只猫是谁饲养的，会因为期待接下来发生什么而激动不已。其实，科学中也有与人相关的故事。

从如今已是理所当然的事实——"基因的本质是DNA"——是从何时以及如何被揭示开始，我们能看到科学也是人的活动，其中也有各种各样的故事。我认为这种见解非常重要，但很遗憾教科书中并未提及。

这是一个很好的例子，可以教会我们"了解真相"是非常困难的事，还请大家继续阅读下去。

◆ 细胞核里的物质

我们身体由数万亿个细胞构成。细胞里有一个名为"细胞核"（nucleus）的结构，DNA就位于细胞核内。DNA是由瑞士人米歇尔（Friedrich Miescher）[1]发现的，那是约150年前（1869年）的事了。米歇尔收集了外科医院里沾有脓液的废弃纱布。你们知道脓液吗？我小时候一旦受伤，伤口便会化脓，这是因为病原体由伤口侵入了身体。我们的身体拥有免疫系统，可以保护我们不受外界的异物侵害。当对抗病原体的白细胞死亡时，伤口便会化脓。如今人们发现抗生素可以抑制病原体的增殖，受伤时可以通过涂抹抗生素软膏，或者吃药防止化脓，所以很多人也不知道脓液了吧。

回到正题，米歇尔处理脓液，也就是白细胞的时候，在细胞核内发现了新的物质，并将之命名为"nuclein"。后来，这种物质被发现呈酸性，因此被叫作"nucleic acid"，即"核酸"。后来的研究还发现了脱氧核糖这一糖分子，因而脱氧核糖核酸（deo-

---

[1]　弗雷德里希·米歇尔（1844—1895），瑞士生物学家。

xyribonucleic acid，也就是DNA）成了这种分子的正式名称。

如前文所述，DNA是由腺嘌呤（A）、胸腺嘧啶（T）、鸟嘌呤（G）、胞嘧啶（C）这四种碱基所构成的，但当时的研究者们并未给予这种物质太多关注。尽管它存在于细胞核中，很有可能是基因，但米歇尔发现这一有趣的物质时，并未收到好的反响。当时大家都断定：基因必须传递各种各样的遗传信息，一定非常复杂，所以只有ATGC四种碱基的DNA不可能拥有主导遗传的功能。这种心理也并非不能理解。如果你也身处那个时代的话，或许也会有同样的想法吧。

◆ 尽管进行了证明"基因的本质是DNA"的研究

1928年——距米歇尔的发现已经过去近60年了，格里菲斯（Frederick Griffith）[2]进行了一项有趣的实验。

引发肺炎的肺炎双球菌里，有被膜所覆盖且表面光滑的细菌（光滑的S型细菌）和不被膜所覆盖且表面粗糙的细菌（粗糙的R型细菌）。S型细菌具有病原性，如果增殖的话，会导致疾病（肺炎），而R型细菌没有病原性。因此，格里菲斯将高温杀死的S型细

---

2 弗雷德里克·格里菲斯（1879—1941），英国细菌学家、传染病学家和肺炎病理学家。

菌和活的R型细菌混合后，注射进老鼠体内。大家都认为如果这么做，理应不会发生任何事情。但是，被注射的老鼠死于肺炎。明明在老鼠体内增殖的是无害的R型细菌，为什么老鼠会死于肺炎呢？可以猜想，有可能是死去的S型细菌中的物质进入了R型细菌中，将R型细菌变成了S型细菌。事实上，将死于肺炎的老鼠体内增殖的菌种注射到别的老鼠体内，那只老鼠也会因肺炎而死去。因此可以合理认为，存在于老鼠体内的细菌是S型细菌。

到了这一步，大家自然会发问：进入R型细菌中的物质是什么呢？按理说，会有人尝试验证该物质是DNA的可能性，但却没有人这么做。这是因为大家有一种固有观念：DNA的构造过于简单，不可能是基因的本质。固有观念如此可怕。

16年后的1944年，洛克菲勒医学研究所的奥斯瓦德·西奥多·艾弗里（Oswald Theodore Avery）[3]终于着手这一实验。他尝试着从杀死了的S型细菌中提取出各种物质，并加入R型细菌之中。那些物质之中当然有蛋白质和DNA。随后他发现，只有在加入DNA的时候，R型细菌才会显现出S型细菌的特性，并将其性质遗传给下一代。在这里，艾弗里还做了一个重

3　奥斯瓦德·西奥多·艾弗里（1877—1955），加拿大裔美国籍细菌学家、医生，最早的分子生物学家之一，免疫化学先驱。

要的实验。他将R型细菌和杀死了的S型细菌混合后，加入脱氧核糖核酸酶这种可以分解DNA的酵素，结果显示S型细菌的特性没有遗传。这样一来便确定了DNA是决定细菌性质的基因。然而，当时的研究者们并未高度评价这一实验。如何能用4种碱基解释复杂的遗传现象？没有办法做到的！当时的大家仍然先入为主地这么认为。

现在我们学习写着"DNA是决定细菌性质的基因"的教科书，但是约80年前（事实上，我出生的年份比这稍稍早一点），即便是一线的研究者们也因先入为主的观念认为事实并非如此。先见是可怕的，必须加以小心。

◆ 终于来到了"基因的本质是DNA"

到了1952年，一项实验终于让研究者们承认DNA就是基因的本质。而这一次，发挥重要作用的是病毒。2019年年末，新型冠状病毒疫情暴发，这让很多人对病毒非常关注。虽然本书不是以病毒为主角的故事，但是思考生物世界时，病毒作为一个有趣的存在会时不时登场，请大家多多留意。

进行该实验的是赫希（Alfred Day Hershey）[4]和

4　艾尔弗雷德·第·赫希（1908—1997），美国细菌学家与遗传学家。

学生玛莎·蔡斯（Martha Chase，女性）[5]，他们使用的是大肠杆菌和感染它的病毒（称为噬菌体），请参看图2。噬菌体的构造很简单，外壳由蛋白质构成，内部有DNA。蛋白质里有硫（S），DNA里有磷（P），赫希便利用这一性质来组建实验。虽然噬菌体不能自我增殖，但是感染了细菌之后便可大量增殖。两人在培养大肠杆菌的培养基中加入放射性硫元素（^{35}S）和放射性磷元素（^{32}P），让噬菌体感染大肠杆菌。然后，让^{35}S进入数量增加的噬菌体的蛋白质内，让^{32}P进入了噬菌体的DNA内。接着，再让增殖的噬菌体感染别的大肠杆菌，一段时间后，用离心机去除附着在大肠杆菌周围的物质后再检测，发现大肠杆菌内只有^{32}P，完全找不到^{35}S。在那里新产生的噬菌体内部也有^{32}P，^{35}S并不存在。换而言之，这表明只有噬菌体的DNA会进入大肠杆菌之中，并产生噬菌体后代。清楚地揭示到这一步，就没必要再继续怀疑了。而且这个时候，研究者们也逐渐意识到，除了DNA之外，没有其他基因候补了。就这样，在DNA被发现80多年后的1952年，"基因的本质是DNA"这一事实终于得到了承认。这花了多么漫长的时间啊。

5　玛莎·蔡斯（1927—2003），美国生物学家。赫希-蔡斯实验证明了DNA为遗传物质，是20世纪生物学最重要的发现之一。

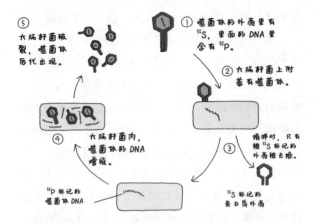

图2　赫希-蔡斯实验。噬菌体感染了大肠杆菌后，只有DNA会进入大肠杆菌内部。

◆ DNA双螺旋结构模型诞生

一年后的1953年，热爱观鸟的25岁的美国年轻人詹姆斯·杜威·沃森（James Dewey Watson）[6]和37岁的英国物理学习者弗朗西斯·哈利·康普顿·克里克（Francis Harry Compton Crick）[7]合作，共同发现了DNA双螺旋结构模型，这是他们在用铁皮制作模型时想到的。大家都曾看到过双螺旋结构模型吧。很多科

6　詹姆斯·杜威·沃森（1928—），美国分子生物学家，20世纪分子生物学的领头人之一。

7　弗朗西斯·哈利·康普顿·克里克（1916—2004），英国生物学家、物理学家和神经科学家。

学书籍上都有相关的介绍和说明，这里就不细说了。

DNA双螺旋结构的发现可以说是"过去100年最重要的科学成果"——我是这么认为的。而且这一结构的发现也是"科学研究是人进行的事业，与之相关的人们有很多故事"的鲜明例证。与这个发现有关的故事被研究者詹姆斯·杜威·沃森记录在《双螺旋》[8]这本书中，请大家务必找来读一读。在此之前，科学家们总是被作为"传记中的伟人"来书写的，而这本书则是科学家首次尝试真实记录研究领域中的人的故事。比如，作者在全神贯注地思考DNA的结构时，总觉得棘手，或者总会想起之前遇见的可爱女孩的样子——这些故事任何人都会有共鸣，都能感受到其中的真实性。从那以后，一个个如实讲述科学研究领域的故事相继问世，我们也开始自然而然地认为：科学家并非来自异世界，而是和我们一样的人。

DNA是分子，所以不能像细胞一样用显微镜看到。当时，X射线照片在研究者们探究其结构时发挥了重要作用。基于女科学家罗莎琳德·埃尔西·富兰克林（Rosalind Elsie Franklin）[9]拍摄的照片，沃森和克里克有了许多发现，但是沃森在《双螺旋》一书

8　日文书名为"二重らせん"，日文版于2012年由讲谈社出版，中文版于2017年由浙江人民出版社出版。

9　罗莎琳德·埃尔西·富兰克林（1920—1958），英国物理化学家与晶体学家。

中并未给予富兰克林正确的评价，这反映了他对女科学家的态度。富兰克林是一位杰出的实验化学家，不幸的是，她在37岁时因癌症英年早逝。1962年，沃森和克里克因"发现DNA双螺旋结构"被授予诺贝尔奖，但由于诺贝尔奖只能授予生者，所以很遗憾富兰克林无法被授予。当时，女科学家并未得到应有的评价，这一点毋庸置疑。和任何其他领域一样，重要的是，科研界也应该是一个谁都可以充分且愉悦地工作的地方。希望这是一个无论性别、国籍乃至出身学校，谁都可以发挥才能的社会。这在今天仍旧是一个课题。

回到DNA的话题。双螺旋结构被揭示以后，人们发现DNA通过自我复制将亲代的特征传递给后代，并在必要的时间和场所产生生命体所必需的蛋白质，以维持其正常运转。相关发现接二连三被阐明。这些都是很重要的研究，教科书中也有所介绍，这里就不加以细说了。若推进故事时有必要，我会再加以讲述，现在让我们进入下一部分吧。

你的细胞中的DNA

我没有像教科书里说明科学成果那样解释DNA，是有理由的。学习科学时，我们一般会先将DNA视作一种物质，再进行思考。比如，我们在听到氯化钠时，会想到放在眼前的白色物质——盐。但如果像这样，仅仅将DNA视作一种物质的话，是没有意义的。

盐，当然也存在于身体中，但海水中的盐也很有意义，不是吗？DNA不一样。DAN如果不在身体中，更确切地说，如果不在细胞中就毫无意义。DNA只有在细胞中才能发挥有意义的作用。因此，思考DNA时，想象它在细胞中，特别是在构成你身体的细胞中工作的样子非常重要。将其视作"正在你的细胞中工作的DNA"是非常必要的，这与活着这件事情密切相关。

你的生命最初是受精卵。那是父亲的精子进入母亲的卵子之后，在父母双方各提供一半DNA的基础上产生的细胞。受精卵分裂后会形成200多种构成身体的细胞，如心脏细胞、肝脏细胞和神经细胞等，你的身体也由此形成。到了十几岁时，构成身体的细胞会多达37兆个。每个细胞都在不同的部位（如心脏、肝脏、神经等处）发挥着作用，但每个细胞都拥有和受精卵时期相同的DNA。这些存在于你每一个细胞中的DNA都是独一无二的，和其他任何人的都不一样。地球上虽然有超过78亿人，但每个人拥有的DNA都各不相同。让我们一起来了解支撑你这个人的重要的DNA吧。

"支撑你这个人"也许听起来像是从父母那里获取的DNA决定了我们的一生，我要事先声明，事实并非如此。细胞中的DNA在具体工作时与环境的关联绝对不少，所以也会随着饮食、运动等生活方式的变化而变化。认为DNA自出生起便已经注定，且再也不会发生改变的想法叫作"决定论"。"不可以用决定论来理解DNA"是本书想要传达的重要信息。当然，从父母那里获得的DNA的确是基础，并且对于生物之间的联系具有重要的意义，所以大家要重视它。除此之外，DNA具有根据你的生活来改变工作方式的自由度。我们不仅可以通过DNA感受到与父母、兄弟姐妹以及其他所有人之间的联结，还能够充分利用内含自己独有DNA的细胞，作为生物而活下去。

说到底，DNA是一种物质。它使我们每个人都拥有作为生物的共通性，又让每一个独一无二的你成为你。我认为这一点很有趣。我们每个人都既是多样的，也具有普遍性，而且是独一无二的存在，这是生物的特征。科学清楚地揭示了这一点。

因为想让大家实际感受到DNA正在你的身体里发挥作用，所以讲到了人类的故事。当然，狗、蚂蚁和蒲公英也都是由含有各自特有DNA的细胞构成的，DNA在每一个个体中都发挥着作用。

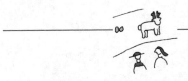

第 2 章

—

人类是生物

在第1章中，我们阐述了"基因的本质是DNA"，虽然是一句很简单的话，但着实花费很长时间才被确认为科学事实。不过，当大家把目光放到构成人体细胞中的DNA上，我们就会明白一些与作为生物的人类有关的重要事情了。

我大学入学那年是1955年。让我们简单回忆一下之前的内容。我们说过，赫希和蔡斯在美国开展噬菌体实验是1952年，沃森在英国提出DNA双螺旋结构模型是1953年，仅仅几年之后，我上大学了。

如果是现在，美国也好，英国也好，信息的交流很简单。于你们而言，这样的环境是理所当然的。但在当时，刊载论文的杂志是使用船运递送的，所以从欧美送达日本需要花费一个月以上的时间。而且，直至1945年，日本都在与美、英两国交战，生物学的详细研究资料完全没有传到日本，因而日本毫不了解最新的学术动向。揭示"基因的本质是DNA"的研究隶属于分子生物学领域，但因为这个领域诞生于物理学者的构想，生物学者们向来不太关注，甚至有人完全无视对生物学"一无所知"的物理学者们所说的内容。学术有专攻，专业之间有壁垒，所以一些人不太会有试图理解其他领域的想法。还有一种强烈的感觉是，当其他领域的人对自己的领域横加评判时，我们往往无法接受。不过，其实我不应该这么说。碰巧我学的是化学而非生物学专业，得益于有想法自由的

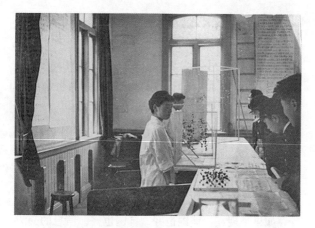

图3 作者在大学的校园祭上向高中生讲解分子模型。桌子里侧坐镇着DNA双螺旋结构模型。

老师的指导，所以在大学三年级的时候，也就是1957年，我有幸向老师请教了DNA双螺旋结构模型。我仍然记得当时因为明白了很厉害的事而兴奋不已的心情，还和同学一起用竹篾和纸黏土制作了双螺旋模型来加以确认。

不过，关注DNA，进行生物研究的分子生物学在实验室里能研究的对象只有细菌。为了调查DNA是如何发挥作用的，实验者主要使用了大肠杆菌。在进行这样的研究时，大家都倾向于认为人的细胞也理应会发生同样的情况。某研究者曾说："大肠杆菌的真相也是大象的真相。"在这里我想说的是，任何生物的DNA的运作方式都是相同的。实际上，当时还未针对大象的DNA进行研究，但每个人都是这么认为的。当然，这也同样适用于人类。这是一个重要的研究方向。

在DNA研究开始之前，科学界对人类和其他生物一直有着明确的区分，生物学与人类学这两个学科是完全八竿子打不着的。在日常生活中，虽然大家都使用"生物"这个词，但不知何故，人们总是认为人类和其他生物不一样。

这种区别在西方的基督教文化中更为明显。由神所创造的天地万物们被视为为了人类而存在，是人类支配的对象。自然而然地，也就有了认为人类是特别的存在这一想法。

虽然日本人对自然有一体感，而且没有像基督教那般将人类特殊看待的文化，但是我们并没有将理科中的生物学和人类学联系起来思考。不知何故，人类总认为自己是特别的，是和其他生物不同的，而这种不同才是重要的。消除这种莫名的偏见也是本书的主题之一。

DNA研究揭示的事实

◆ 聚焦进化论

在DNA研究所揭示的内容的基础上，为了再一次考虑"生物"这个词的含义，我们将目光投向"进化"。大家知道世界各国都有自然历史博物馆吧。各国的自然历史博物馆中陈列着各种各样的生物和化石标本，展示着生活在地球上的多种多样的生物，揭示了进化这一现象的存在。这些花费很长时间才搜集到的远古时期的标本带给我们历史的厚重感，所以请去参观看看。观察各种各样的生物，我们会看到他们之间的关联——生物不是一个个被独立创造出来，而是进化而来的。这个观点很早以前就已经存在了。宗教有宗教的理解方式，但是如果从事实中学习，我们能很清晰地看到这一点。

查尔斯·罗伯特·达尔文（Charles Robert Darwin）在1859年出版的《物种起源》一书中明确提出了这一观点。达尔文是一位喜欢观察自然，且拥有卓越观察力的优秀博物学家。看到自己饲养的鸽子因为育种，也就是人为选择而改变特性之后，他认为自然界中的生物产生类似的变化也不足为奇。但在基督教占支配地位的世界里，意识到这一点会让人感到很困惑吧。这里出现了宗教与科学的主题。这很重要，但我们暂时先放一放。

自1831年起的5年间，达尔文以博物学家的身份登上海军勘探船"贝格尔号"（Beagle），详细观测了南美洲和新西兰的动植物及地质情况。这是一次名副其实的宏观航海。特别是在加拉帕戈斯群岛，他注意到随着岛屿的不同，动物也逐渐变化，并开始意识到由于环境的关系，生物的进化也在切实地发生着。一个著名的例子是有关雀科鸟类的。不同的岛屿上雀鸟的身体与喙的大小各不相同，达尔文认为这可能与它们所食用的坚果有关，并据此得出了一个观点：经历了各种各样变化的同伴中，适应环境的个体得以生存下来。我们来看一看达尔文描绘生物生存状态的文章吧。

众多的群体不是排成一列，而是群聚在许多点的周围，这些点会再聚集到别的点的周围，几乎是在描绘一个无限的环。认为各个物种是被独立创造出来的观点无法解释这一在所有物种分类中都能发现的重大事实。

达尔文描绘了各种各样的生物以复杂的关系共存的状态，并明确提出不认为它们是被独立创造出来的。在距今150多年以前的英国写出这番内容，肯定需要莫大的勇气。作为优秀的博物学家，达尔文无法否定亲眼所见的事物。让事实说话是非常强大的力量。

我相信：生命之树也是这般世代相传，以枯落的枝条填满地壳，不断分杈的美丽树枝覆盖地表。

　　　　　　　　第 2 章　人类是生物

这一段话也很有魅力。所谓生命之树，描绘的是地球上各种各样的生物彼此联结共存的样貌，看起来就如同大树一般。在大树成长的过程中，也有很多树枝枯落，它们是消失的伙伴，也是生命之树的一部分。面对这样的生物存在状态，达尔文写道："我相信。"他很有可能会受到那些认为神创造了万物的旁人的非难，但因为是自己亲眼所见，所以只能说"我相信"。达尔文认为，个体为了存活对环境的适应，也就是所谓的"自然选择"，导致了进化。做学问，发现新事物，提出新想法，都需要相信自己，坚定不移地挑战。即便偶尔也会犯错，挑战依然重要。正是通过这样的日积月累，才有了如今的学问。当然，科学正是发现错误并改正的过程。关于进化的新想法也在一点点产生。

◆ DNA阐明"生物"的含义

达尔文在《物种起源》中呈现的想法，对后来的生物学者产生了很大的影响。大家不再认为生物是一个一个被独立创造出来的，而是转向认为是进化产生了各种各样的物种，并开始以此为前提进行研究。然而，当时开展进化研究的唯一方法只是研究偶然得到的化石，并将其与现存的物种进行比较，无法了解进化过程的具体细节。而且进化需要漫长的时间，不适合实验室研究，也难以得出明确的数据，很难找到一种方法来检验自然选择这一想法是否正确。除非能用客观实验数据揭示进化的过程，让大家都信服，否则进化就无法成为科学。因此，进化科学没有诞生，进化论也只能暂时停留在想法的阶段。

很有趣吧。虽然对生物学者产生了巨大的影响，所有生物学者也都熟悉进化这一概念，但在很长的一段时间里，进化都与生物学本身无关。当时的状况是，如果想要认真研究进化这门学科，周围的人很可能会劝你放弃，因为得不出科学的成果。这样一来，便无法进行了解生物本质的研究，难以用科学阐明生物之间关系的时代也一直在继续。也就是说，当时很难用科学术语明确地说"人类是生物"里的生物与"蚂蚁是生物"里的生物在本质上是同一个概念。

上述问题的答案来自第1章中提到的"基因的本质是DNA"这一事实的发现。我们认为是生物的物种，如人类、动物与植物等，都是由含有DNA的细胞所构成的。肉眼看不见的细菌也是由含有DNA的细胞构成的。细菌是由一个细胞构成的单细胞结构生物，必须用显微镜才能看到，但它在DNA研究实验中发挥了很大的作用。

我们也可以说，"任何由含有DNA的细胞构成的东西都是生物"。当发现从未见过的新物种时，如果它是由含有DNA的细胞构成的，我们就可以称之为生物。并且，现在人们已经知道，所有生物细胞中的

DNA都发挥着同样的作用，因此所有的生物都可以被视作同类。

　　DNA是一种物质，可以在实验室里对其进行分析，研究其功能。以DNA为切入口，就可以进一步研究"所谓活着是怎么一回事"。如此一来，有关进化的研究也可以在实验室里进行了。新的学科诞生了。

第3章

———

从生命科学
到生命志

生命科学的诞生

如果将"基因的本质是DNA"这句教科书中的表述理解为"生物是由含有DNA的细胞构成的",我们就会意识到人类并非唯一特殊的存在。此时,"生命科学"这门新的学科登场了。

"生命科学"一词如今被大家广泛使用,在学术史上却是非常新的事物。生命科学是"为了探究何为生命而展开研究的科学",这一蕴藏在其中的重要意义,我一定要传递给大家。我又在说一件显而易见的事了吧。

但是还请听我说下去。在此之前,生物研究按照研究对象分为动物学、植物学和微生物学等,这种分类方式是将动物和植物分别看作不同事物的时代的残留。遗传学、发生生物学、生理学等以研究对象为依据进行划分的学问之间是没有关系的,医学和生物学当然也是没有关系的。现在想来,无论哪门学问,深究起来,都是为了回答"何为生命?"更确切地说,是为了回答"活着是怎么一回事"。但我们这么认为,是因为我们现在知道任何生物都是由含有DNA的细胞构成的,并且能用这一机制来理解遗传和发育。我们终于能够思考为了探究"何为生命"而创立的生命科学了。这是学术的一大进步。

但是,在1970年前后,许多研究者都没有意识到生命科学的重要性。当时我的恩师江上不二夫老师成立了生命科学研究所并开始研究，在学术史上迈出了新的一步。生命科学是这样的学问：

> ① 以所有生物、所有生命现象为对象，阐明生命是什么。
>
> ② 生物之中包括人类（也就是说，并非只有人类是特别的）。
>
> ③ 立足于作为生物的人类这一基本认识，开发科学技术，创造重视生命的社会。

我们已经解释了①和②。③是我在本书中想要思考的非常重要的部分，但目前还没有谈及。我们将在下一章开始讨论这个话题，到时候请大家和我一起思考吧。

我会在时机合适时为大家介绍生命科学研究所揭示的内容。总之，1970年，也就是约50年以前，"人类是生物"这句话开始具有了重大意义，一个新的时代开启了。

基因组这个切入口的有趣性和重要性

50年来，我们从生命科学研究中学到很多，涉及的内容也非常有趣，只是很遗憾没有时间向大家一一介绍。那么就让我们一起来思考一下其中最最基本的一项吧。

到目前为止，我们一直在说"基因的本质是DNA"，如果将一个细胞里包含的所有DNA视为一个整体的话，就可以将生物看得很清楚了。我们将所有DNA构成的整体称为"基因组"。从英文入手很容易理解，基因（gene）汇总在一起，便成了基因组（genome）。关于基因组，我有很多想讲的，但在这里我们只讨论与本书整体内容相关的部分。

随着我们对"基因的本质是DNA"这一事实的了解逐渐加深，生物是多样且共通的这一特性也变得明确。凭借将DNA的整体视作基因组这一新视角，我们可以在DNA共通性的基础上看到不同物种的多样性特征。人类基因组、狗基因组、蚂蚁基因组、向日葵基因组……各个物种都有其特有的基因组，分别对其展开研究，便可探知"人是怎样的生物？""向日葵是怎样的生物？"等问题的根本。而且，各种生物自诞生起的历史都被记录在了基因组中，所以通过比较便可以探知各种生物之间的关系。此外，因为每个个体都拥有"我的基因组"这一独有的基因组，生物的状态也得以通过基因组被科学阐明。

◆ 作为基因组的DNA——人类基因组计划

基因指导特定蛋白质的合成，产生的蛋白质在细胞中工作，使细胞得以存活。我们人类的DNA里约含有2万个基因，这些基因通过复杂的方式协同工作，以维系生命的运转。

迄今为止的科学研究都重视分析，认为只要彻底搞清楚基因，便可以了解生物。但随着研究的推进，人们发现事实并非如此。让我们以癌症研究为例。癌症是当今世界的主要死因之一，所以研究致癌原因并了解预防和治疗癌症的方法非常有必要。生命科学研究伊始，癌症研究便自然而然地受到了关注，随着研究的进一步深入，科学家们还发现了导致癌症的基因。这项研究始于病毒。有一种病毒，鸡感染之后会引发癌症。[10] 后来，科学研究发现起作用的基因是由鸡原本所携带的基因变异而来。[11] 肺结核是由结核杆菌所导致的，可以通过使用抗生素来抑制结核杆菌的增殖，这一点目前已经很清楚了。但癌症是由动物（不仅是鸡，也包括人在内的各种动物）本就拥有的基因变异所导致的，并且与癌症相关的基因不止一种。

---

10 1911年，美国外科医生弗朗西斯·佩顿·劳斯（Francis Peyton Rous）发现禽肉瘤病毒（RSV）能够引起鸡的肉瘤。这是首次证明病毒能够引发癌症，并标志着癌症病毒研究的开始。

11 1976年，科学家哈罗德·瓦慕斯（Harold Varmus）和迈克尔·毕晓普（Michael Bishop）发现RSV中的癌基因（v-src）是由鸡细胞内的正常基因（c-src）的突变形式引起的。

癌症是细胞异常增殖的疾病。细胞的增殖与各种各样的基因相关，不同的癌症所对应的基因发生的变化也不相同。在推进癌症研究的过程中，研究人员产生了这样一个想法，即除非我们检视人类拥有的所有基因，并观察它们作为一个整体是如何运作的，否则无法了解癌症。你听过人类基因组计划吗？这便是一项旨在解析人类细胞中的全部DNA而进行的整体性研究。

人类单个细胞中的DNA总长约2米。因为单个细胞的直径以微米[12]计，所以可以将DNA看作一根细细的线。这根"细线"上排列着32亿个ATCG碱基对，所以分析它们是一项耗时耗力的艰巨工作。但如果想知道"人类活着是怎么一回事？"，就必须研究所有的DNA。所以世界各国研究者们通力协作，终于在2003年基本破译了人类DNA序列，到了2022年3月，剩余的8%也被全部破译。

科学研究无国界。只考虑竞争的世界生活不易，希望合作能让大家都变得更加幸福。在破译基因组的过程中，得益于合作，我们了解了很多基因的运作方式。实际上，基因组中可以被明确界定为基因的部分不到2%，多亏了人类基因组计划，我们才大致了解了剩余部分的作用。

12　1微米为1米的百万分之一。

这里需要事先说清楚。不能仅仅因为破译了人类DNA中的ATCG碱基序列，了解了基因的运作方式，就说我们了解了人类。"活着是怎么一回事？"并不能仅仅通过基因组的破译被阐明。不过，这里至关重要的是，我们可以透过基因组这一整体视角来观察生物了。

观察整体的视角诞生于基因组研究

重申一下，切勿认为通过基因组就能了解一切，了解一切原本也不可能仅依靠科学达成。谈论科学话题时，大家很容易陷入想要了解一切的误区，本书有意抛却这种想法，而把重点放在看到生物的本质上。如此想来，将DNA视作基因组而非基因是一个很大的进步。

当将DNA视作基因来进行考察时，我们倾向于认为只要将其分解为要素，就可以了解一切。但如果将其视作基因组来看的话，我们便可以获得一种观察整体的新视角。科学是分析性的，且需要还原到一个个要素中。但将基因组作为观察对象，我们便获得了一个分析而不还原的整体视角。不觉得我们找到了既重视科学，又能克服科学缺点的方法吗？我们细胞中的基因组是支撑我们每个人作为生物而存在的所有DNA

的集合。DNA以整体而非要素的形式存在，所以了解基因组即了解你的整体。请允许我再次强调：基因组是你所拥有的全部DNA的集合，但并非你的全部。将目光投向DNA这一基本物质与将DNA分解为要素的想法是不同的。了解要素很重要，但我们真正想知道的是整体。

在此之前，人们总是将要素和整体对立起来思考，想要了解的对象不同，思考和研究的方法也完全不同。说得极端一点，想要了解要素的人学习科学，想要了解整体的人学习哲学，二者是完全不同的学问。但是以基因组为视点，人们可以用科学的方法一边分析DNA，一边思考整体。我想通过基因组对"活着是怎么一回事？"进行整体性的思考，并将其作为一门学科来研究，于是创想出了"生命志"。这里最重要的是，在重视科学的同时，通过思考整体创造出新知识。可以说，正因为是在科学的时代，我们才更应该思考作为人类的生命本身。

描绘生命志画卷

生命志画卷（图4）是为帮助人们了解生命志的基础知识而绘制的图卷 地球上各种各样的生物被描绘在了扇面上部，数量多达上千万种。所有生物都是由细胞构成的，每个细胞内又含有各自的基因组——

图4 生命志画卷。扇轴部分描绘的是距今约40亿年以前地球上生命诞生之初的情况，从那里进化并诞生了各种各样的生物，形成了如今无比丰富的生态系统。可以从生命志画卷中读到生物之间的关系和历史故事。（合作：团真理奈 绘画：桥本律子）

人类拥有的是人类基因组，蚂蚁拥有的是蚂蚁基因组，向日葵拥有的是向日葵基因组……扇轴处的原始细胞是祖先，各种各样的生物都是从那里进化而来的。根据原始地球[13]的样态和化石材料，可以推测原始细胞诞生于约40亿年前的海底。（最近，科学家在对小行星"龙宫"上的矿物微粒进行分析时发现了20多种氨基酸。就这样，我们知道了地球以外也有生命物质，并且越来越多的人开始思考其他星球是否也存

13　指46亿年前刚从太阳星云形成的地球。

在着生命体。这非常有趣，不过我认为地球的生命是孕育于地球的。）原始细胞中含有细胞增殖所必需的基因组，关于生命所需要的最基本的基因的研究也在进行中。最初诞生的基因中的一部分被复制，另一部分获得了新的机能，基因组一点点生长和变化，并在各个生物细胞中运转。这就是进化。

生命志画卷是扇形的，从扇轴到扇面上部的距离均相同，呈现的是40亿年的时间。在观察周围的生物时，你会不会想它们是高等的还是低等的呢？比如狗是亲近人类且非常聪明的高等动物，但蚯蚓是低等动物之类的。生命志画卷上部的动物都经过了约40亿年的进化，如今在各自的环境中好好生存着。不同的生物有生存方式上的不同，但没有高等、低等之分——高等、低等这种表达不适用于生物。可以确定的是，所有生物都经历了相当漫长的进化，如果没有花费近40亿年的时间，也根本不会存在于此。难道不认为任何生物都不应该被轻视吗？

最后，让我们来确认扇面中人类的位置吧。现代社会中，人们似乎认为自己在扇面之外，并且处于上方。

即使我们在说"生物多样性很重要"的时候，也是带着一种"人类处于上方，必须确保生物多样性"的意识。在说"善待地球"的时候，不也是从外部凝视着其他生物吗？我们说"人与自然"，但明明应该是"自然中的人类"。认为"人类是特别的"这一看法，采取的其实是一种俯视的视角。科学好不容易揭示了我们与生物们共存的事实，所以从内部观察的视角现在显得尤为重要。

科学明确地揭示了"人类是生物，是自然的一部分"这一事实，我们有必要在此基础上思考与自然相处的方式。当然，人类按照人类的方式生活着。我们学习科学和哲学，创造新技术，拥有文化与文明，这是和别的生物不一样的。但是今后不一定也能拥有像现在一样的文明。难道不应该重新思考社会现状和我们的生存方式吗？如果重新思考，我们又会创造出一个怎样的社会呢？

第4章

———

解明现代社会的
问题点

我们生活的社会中有很多需要解决的问题，没有时代是不存在问题的。可以说，人类历史就是一部大家在各个时期一起努力解决问题的历史。不妨让我们也直面当下的问题吧。下面我将列举几个我所认为的问题，有和你想的一样的吗？

首先是气候异常。经过调查，联合国机构IPCC[14]发布了一项评估报告："因为我们人类持续着大量生产、消费的能源密集型生活方式，大气中的二氧化碳浓度上升，导致了全球气候变暖及气候异常等现象的持续。"气象非常复杂，即便是严谨的科学，也很难给出简单明确的回答。但从很多研究来看，我们可以像这样思考。

我比较在意的还有类似新型冠状病毒的病毒大暴发，持续性的感染往往让我们对未来满怀忧虑。此外，2022年2月还发生了俄罗斯与乌克兰交战这一重大事件。从新闻中看到医院和学校被投掷炸弹的影像，我感到非常悲痛。这不仅剥夺了孩子们的日常生活，甚至连他们的生命也剥夺了，实在是无法原谅。

欺凌、虐待、歧视、经济不平等问题正变得日益普遍，令我十分在意。很多人正致力于解决这些问题，但无论哪一个，解决起来都非常困难。针对具体

---

14 IPCC是Intergovernmental Panel on Climate Change的缩写，即政府间气候变化专门委员会，是牵头评估气候变化的国际组织，于1988年成立。

问题逐个击破非常重要，但是我也在想，是否有必要努力聚焦导致这些问题的共同原因呢？我认为原因之一便是，现代社会是一个"科学技术社会"，没有立足于"人类是生物"这一事实。虽然听起来有些复杂，但这是最重要的部分，请大家一起来思考吧。

将DNA视作基因的本质来分析生物，认为只要将其还原为要素就能理解生物的科学观点被称为"机械论"。这种观点将生物看作机械，认为只要明白其构造和功能，就可以理解生物。不过，如果从基因组这一整体性视角来看待DNA的话，尽管仍基于科学，但你不觉得看待事物的方法发生了变化吗？生命志在科学的基础上看到了漫长的生物进化史和生物之间的关系，着眼的是整体的联系，这便是它的变化。这种看待事物的方法被称为"生命论"（其实想叫它"生命志论"，但还是先称其为"生命论"吧）。

现代科学技术社会是靠机械论驱动的，包括人类在内的生命都被看作机械。可能很多人对此不以为然，所以接下来不妨让我们一同思考它到底意味着什么。了解了现代社会中所有难解问题的共同点，我们便能更好地找到解决问题的途径。

以机械论驱动的科学技术社会

人类和蚂蚁同为生物，是伙伴，是自然的一部分——几乎没有人会质疑这一事实。但实际上，这一点直到20世纪中叶之后才被科学阐明，在人类的历史上也就是不久前发生的事。就算科学没有揭示这一点，我们也应该意识到我们理应形成一个尊重生物的社会。但如今的社会不是这样的，大家认为科学是被称为"科学家"的专家研究的东西，非专业人士与科学毫无关系。如果这么想，那实在是大错特错了——科学以科学技术的形式进入我们每天的生活，和我们的生活方式息息相关。虽然有些啰唆，但现代社会是机械论式的科学技术社会，我们所有的人都生活在其中。让我们回到问题的基础，从科学的诞生开始思考吧。正如我在前文中所说，了解历史非常重要，虽然看起来有些绕远路了，但请大家陪我一起继续下去吧。

◆ 科学的诞生

我认为在科学课上多学习一些科学史知识很不错，但现实是没有那么多富余的精力。正如我在有关DNA研究的部分中提到的，为了更好地理解科学事实，了解它们是在何时、由谁以及如何揭示的非常重要。

伽利略·伽利雷
（1564 - 1642）

弗朗西斯·培根
（1561 - 1626）

勒内·笛卡尔
（1596 - 1650）

艾萨克·牛顿
（1643 - 1727）

图5　17世纪的科学革命中发挥重要作用的四位科学家与哲学家。

科学这门学问究竟是在何时、如何诞生的呢？虽然有些遥远，但我们一起去看看吧。

17世纪，欧洲兴起了科学革命。这里的革命是急速发展的意思。我们在这里只列举四位发挥重大作用的人物（图5）：提出"地心说"的伽利略、发现万有引力的牛顿（你们在科学课上听过他的名字吧）以及培根和笛卡尔（或许这两个人你们第一次听到）。笛卡尔是哲学家，看起来和科学毫无关系，但实际上他和本书想要讨论的机械论关系最为密切。

首先，伽利略认为可以用数学定律来理解自然。牛顿试图将事物分解为要素来进行理解，这是物理学的基础。就像在讨论达尔文的进化论时所说的那样，当时是教会力量很强的社会，人们相信世界是由上帝创造的，因此万有引力法则最初也被认为是想要解释上帝的世界。所以，可以说这里列举的几位在当时都是哲学家。但是随着事实被揭示，人们逐渐明白了一切并非一直以来所相信的那样。直到1992年，伽利略在科学领域的贡献才正式被教会认可。

随着关于自然界法则和物质的研究不断深入，到了19世纪中叶，科学研究者们开始认为这个世界的一切都可以用科学来解释，而与神无关。"科学家"一词也在这时候诞生了。当人们抛开神来思考这个世界时，人类的地位上升，科学便取代了神的位置。不知从何时起，"科学性的"这个词被认为是"正确"的意思。读到这里的你应该知道，事实绝不是这样的，还有很多并未被科学阐明的事，很多事也并不属于科学的研究范畴，仅靠科学是不能决定正确与否的。作为通过生物来观察自然的人，我甚至怀疑是否真的存在"正确"这个词。看到有人坚称自己正确而排斥其他人想法的时候，我很希望大家能在倾听对方的意见之后再去寻找答案。重视真相非常重要，但即便如此，也不能将科学与正确完全关联起来。不尝试采取更广阔的思维方式是错误的。

随着科学研究的进步，专业化开始发展，物理学、动物学、植物学等专业出现，日本恰好在专业化开始之际向欧洲学习各类知识。在日语中，"科学"是被划分成科的学问的意思，大家在学校里也是分开学习物理、化学、生物、地理等学科的吧。虽然各个领域各有特点，进行深入的专业化学习非常重要，但科学原本就是一门为了解有关自然的综合性知识而开启的学问。了解生物生活的环境时，物理学、化学和地理学都很必要。因此，请不要忘记时刻拥有一双观察整个自然的眼睛。

如此这般发展的科学反映了17世纪科学革命时的哲学家笛卡尔的思维方式。笛卡尔区分了"物质"和"意识"。"物质"是人们可以看见、触摸，可以通过自己的感觉来确认的，被认为是客观存在，而"意识"是无法被看见和触摸的，不能像物质一样显示其存在。当然，笛卡尔知道自己能够思考，认为自己思考时是意识在内部发挥作用，但是无法显示它的存在。

汲取笛卡尔的这一想法，科学只研究物质。如此一来，人类和其他生物也开始被视作物质，被当作机械一样来观察，这就是"机械论"。以物理学为中心，通过将物质分解为基本粒子并探索其规律性，科学得以进步。20世纪中叶以前，科学一直以这种形式发展着，那时候还没有将人类视为生物，进行整体性观察的科学。在第3章中我们提到，直到20世纪中叶，我们才知道基因的本质是DNA，生命科学和生命志也因此得以发展，生物的历史和各种生物之间关系的重要性得以展现。这时的研究对象不再只是物质，意识也被包括其中。如果不了解"活着"，也就不知道"生物"是什么。也就是说，如今的科学正逐步向"生命论"迈进，这是一门将生物视作整体，并同时考虑意识的新学问。以阐明"人类是生物"这一事实的科学为基础，我创造了"生命志"这门新的学问。但社会仍然由机械论驱动着，于我而言这是非常不可思议的。我想也许基督教中"只有人类是特别的存在"这一观念也产生了影响。

科学是非常有魅力的学问。我不会否定或妖魔化科学，但要想充分发挥科学这门学问真正的价值，就必须吸收随之诞生的看待事物的新方法，并将其转化为新知识。以17世纪科学革命的形式诞生的科学，也可以在21世纪掀起下一场革命。希望每个人都能够一起来思考这个问题。

◆ 科学技术的诞生

刚才我们探讨"科学"的话题。下面，我们就"科学技术"进行思考。虽然经常听说这个词，但是你们思考过它的意思吗？我们说过科学始于17世纪，那么技术呢？

人类起源于约700万年前的非洲，经过不断进化，在大约20万年前，我们人类，也就是智人诞生了。那时的人类使用石器，两足行走、双手自由是其特征，也自然而然地创造了"技术"。而比智人更早出现的尼安德特人使用了形状相同的石器长达70万年，其间几乎没有做出任何改良。智人创造出了新的锋利石器、弓箭和鱼钩，甚至还用动物的骨头和角制作出了缝衣针等。也就是说，我们的祖先拥有热爱钻研、尝试创造新事物的特质。我们应该也继承了这一特质，你觉得呢？

技术让我们的日常生活更加便利和舒适。工具的发展日新月异，从石器到青铜器再到铁器，材料不断更迭。特别是18世纪工业革命兴起后，各种机器被接二连三地创造了出来。从乔治·史蒂芬森（George Stephenson）发明蒸汽机车开始，到托马斯·阿尔瓦·艾迪生（Thomas Alva Edison）的电话、留声机和白炽灯……许许多多的技术都并非出自在学校学习的人之手，而是由工匠和发明家创造的。可以说是从石器时代开始的钻研精神和爱好新事物的特质的延续。

另一方面，当时的科学研究旨在了解自然的奥妙，并未考虑对社会的功用。因此，虽然科学家们的收入并不太丰厚，但他们都很享受研究。科学和技术在不同的道路发展着。

◆ 科学融入科学技术

起初，技术一直是由发明家和匠人支撑起来的，但到了19世纪，欧洲和美国出现了教授技术的工科学校，美国甚至还出现了教授农学的技术学校。就这样，同时教授技术和科学的地方出现了。日本正是在这一时期引进了科学，并效仿其他国家创设了工部大学校，也就是现在的工学部。就这样，日本不经意间成了世界上较早启动大学技术人员培养制度的国家。即使现在，日本大学工学部的学生也多于学习科学的理学部，这是日本的一大特色。

终于，依靠技术制作产品的企业开始重视科学研究以开发新产品。最早的例子是美国杜邦公司聘用的化学研究者华莱士·休姆·卡罗瑟斯（Wallace Hume Carothers）发明了尼龙。这是1935年（我出生的前一年）的事情。当时，女性丝袜普遍是丝制的，不仅易破，而且昂贵，是有钱人才买得起的代表性商品。大家都想要丝袜，于是尼龙登场了，它不仅拥有丝一般的光泽，还更结实、更便宜，可供工厂大批量生产，可以说这是一场生活的大革命。太平洋战争结束后，尼龙袜传入了日本。有一个打趣的说法是"战后变强了的是女性和丝袜"，因为战后民主主义宣扬男女平等。哈哈，又跑题了。大家认为尼龙丝袜的存在是理所当然，没想到背后竟还有这样的意义吧？在这之后，由企业主导的科学技术开发迅速蓬勃发展，现代的科学技术社会诞生了。

就这样，科学变得像是为了生产技术而存在一般。在如今的日本，"科学技术"一词比"科学"使用得更加频繁。1995年日本颁布了《科学技术基本法》，明确了"科学技术创造立国"的目标，以之为背景，科学研究也得到了进一步发展。科学技术固然很重要，但我们不会因为过分强调它，而忘记科学的本来意义吗？我是这么想的。

以这种方式诞生的科学技术在20世纪后半期飞速发展，我们的日常生活也发生了巨大的变化。这里必须考虑的是，这种科学技术以笛卡尔的构想为基础，贯彻将物质分解为要素再进一步阐明的机械论，并以科学技术的形式渗透进人们的日常思考之中。人们的价值观也逐渐有了机械论倾向，这导致人们像观察机械一样对待必须观察整体才能了解的生物，甚至在面对拥有意识的人类时也是如此。

在科学故事中，始于17世纪的科学是机械论，20世纪中叶生命科学蓬勃发展，立足于生命科学的科学是生命论。生命论是观察整体且不囿于传统的自然科学，不局限于物质，不力求还原至要素，且与人文科学和社会科学相联系，通向大知识。以这样的知识为基础，思考以生命论支撑社会的科学技术的时代应该到来了。我们需要专注于生命科学揭示的真理，以生命论为基础来构建社会。我相信这是本章开头提到的如今世界上发生的各种问题的解决方法（在这里，我模仿了达尔文）。

那么问题来了：我们应该怎么做呢？想想我们现在能做什么并不难。首先，请思考以下两种生活方式。

① 认识到人类是生物这一事实，努力充分利用自然，好好生活。

② 为了追求便利不断开发新机器，宁可远离自然。

现在的社会整体遵循②的生活方式。但如果询问每个人的想法，也有人会回答①吧。事实上，我也想尽可能按①的方式生活。

明明几乎所有人都知道人类是生物，如今的科学也揭示了人类是具有多样性的生物之一，但社会却重视便利性，选择了远离自然的方向。便利很可贵，但是这样下去真的好吗？研究生命志的我认为有必要选择①，并努力解决本章开头提到的问题。你也可以在这里停下来想一想。

第5章

——

便利
真的很好……吗?

现在的社会为了追求便利，不断创造着新的机器。如果我们试着思考"便利是什么"，大概会想到以下三点。

① 高效率
② 不花费精力
③ 按想法执行

一个近在身边的绝佳例子便是电饭煲。几乎家家户户都有电饭煲，只需要在锅中加入淘洗过的米和适量的水，再按下开关，就可以全然不费功夫地做出美味的米饭。出门前只需事先预约好煮米饭的时间，电饭煲在你外出时也会好好工作。我小时候还没有电饭煲，煮饭时要把锅放在火上，由人在一旁调节火候，所以妈妈在饭煮好之前都必须守在锅边。比这更早以前，煮饭时需要在灶台里生火，并不断往灶中添加柴火。这种方式非常费时费力，而且如果煮饭的人不是很熟练的话，会很难掌握火候，煮出的饭要么是夹生的，要么就是有很多锅巴……总之非常不容易。但电饭煲不会失败，它非常方便，不费功夫就能将米饭做得好吃。此外，吸尘器和洗衣机等很多家用电器都大大帮助了在外工作的女性。

便利的工具真的很棒。但如果试着考虑生物，我们就会发现用来衡量便利的"高效率""不花费精力"

和"按想法执行"这三点，无论哪一点都不适用于生物。

首先是"高效率"。请试着考虑一种情况，两家相邻的汽车制造厂都努力比对方抢先一步推出产品，因为不仅高效率生产是可能的，在速度竞争中获胜的工厂也确实会受到高度评价，赚到更多的钱。

生物却不是这样。假设你家和邻居家同时迎来了小婴儿，那么不论是哪个孩子，都是一年后一岁，两年后两岁，不会有谁突然间变成大人。对生物来说，一岁有一岁的重要，两岁有两岁的重要，不能跨越时间而活。对于人类，也就是对于生物而言，重要的是过程（process）。活着就是编织时间，每一个过程都有意义，急于求成便不是真正的活。因为制造高效机器谋求方便对日常生活有利，连人类也常常被催促"快点！快点！"，在这样的社会生活会非常辛苦。现在的社会不正在朝着这个方向发展吗？

下面让我们看看"不花费精力"吧。只需摁一下开关便可使机器运转，让它为我们煮饭，为我们打扫房间，真是幸事。那么，对于生物而言，尽量不花费精力好不好呢？让我们试想一下。有婴儿的妈妈非常辛苦，婴儿在夜晚一哭泣，妈妈就需要起床喂奶、换尿布……努力忍受困意。有宠物的人照顾宠物也很辛苦。不仅是动物，庭院里的花花草草也需要侍弄。生物都是花费精力的。但稍稍想一想，不正是因为照顾宠物很快乐，我们才和宠物在一起吗？母亲也觉得哭泣的婴儿很可爱，不会不愿意哄逗婴儿。像这样因花费精力和被花费精力而产生的丰富关系，对生物来说是非常重要的。在这里发挥作用的是心意，是爱，虽然困难在于关系没处理好便会产生仇恨。活着很辛苦，但只要克服困难活下去，便会有活着的意义。对生物而言，最重要的是内心丰富的关系，即使很费事，但也不能随便敷衍。在机械论优先的社会里，人与人之间可能无法发展出良好的关系。

第三点是"按想法执行"。用柴火煮饭的时候，一不留神就会产生很多锅巴。但只要打开电饭煲的盖子，米饭总会如预期般松软饱满，这种理所应当的结果非常令人感激。如果机器无法按人类的想法运转，便会给我们带来很多困扰。汽车只要踩刹车就应该停下，如我们所想的那样，如果不能停下就很危险。但自然是绝不会按人类的想法运作的，更不要说各种生物了。久违的和朋友去游乐场玩的那一天偏偏下雨了，经常发生这种事吧。我无法忘记2011年3月11日的东日本大地震，东京电力福岛第一核电站的事故发生时，很多人说"没有想到"。就地质结构来看，日本列岛很容易发生地震，而且谁也不知道地震会在何时何地，以怎样的形式发生。既然生活在自然之中，就要有遭遇意外之事的觉悟，需要提前做好准备。过着被机器包围的生活，认为不论什么时候所有事都会按自己的计划发展，就只能在自己的设想中思考问题，与自然的互动也会变得越发困难。而且，如果事情不按照自己意愿发展，就会被认定为坏事吧。但有时我们也会遇见未曾预料的好事，也会因为意外地被温柔对待而深感喜悦吧。

便利固然好，但如果只追求"高效率""不花费精力"和"按想法执行"，我们便会与自然，特别是生物脱节。农业本质上就是和自然打交道，而自然是麻烦的，是不按人的想法运作的。人类是生物，食物对我们来说是必不可少的，但在日本，人们更热衷于推进高效率的工业，并用从工业中赚取的钱向外国购买食物，放弃了自己耕种的农业，这导致日本的粮食自给率变得很低。以机械论为基础，在科技兴国的国策下推进工业化真的好吗？地球人口增加会造成粮食短缺，我们不自己生产食物的话，不是很危险吗？请把它当成自己的问题好好思考一番吧。

问题不止这一个。只追求便利和效率、不愿花费精力、凡事按计划进行的思维方式也对我们人类提出了同样的要求。之前遇到很多保育员老师向我倾诉烦恼：他们对每天必须对孩子们说"快点快点"这件事感到怀疑和忧虑。但也有老师认为，如果不催促"快点快点"，孩子们今后的学校生活会很麻烦，所以必须要说。你认为被催促"快点快点"怎么样呢？不觉得现在的社会太过忙碌了吗？将"忙"这个字拆解开，就是"心已死亡"。如果太忙，就会变得没有精力去在意周围的人，对此我有点担心。虽然现在有智能手机，任何时候都可以很方便地和朋友聊天，但当新冠疫情暴发，无法和他人见面的时候，我们才意识到实实在在见面聊天的重要性。

我并非全盘否定便利。但是从"人类是生物"这个角度来考虑，在充分利用必要的机器的同时，记得在涉及包括人类在内的生物时，稍微在"便利"一词后面打个问号，思考一番"便利真的好吗"。人类不是机器这一点很重要。

第6章

———

思考进化，

而不是进步

可以看到，现在的社会是受"越便利越好"这一观念驱动的，人们不断追求着进步。我们来看一看字典里是如何解释"进步"这个词的。我喜欢的字典《新明解国语辞典》将其解释为"向着好的（期待的）方向逐渐前进"。这里至关重要的是，什么是好的方向呢？当今的科学技术倾向于一个方便且脱离自然的社会，所以"进步"就是朝着这个方向发展。

进步和成长不会一直持续下去

进步的根本在于单一的价值观。人类有发达国家和发展中国家这样的说法。发达国家是指经济发展程度高，物质富足，拥有先进科学技术，且生活便利的国家。而发展中国家是指想要成为发达国家，但还在发展之中的国家。两者目标一致，都是进步。也就是说，这些国家都只按物质丰富程度这一个衡量标准，也就是GDP[15]来排名，人们用金钱来衡量一个国家能生产多少东西、拥有多少辆汽车以及信息化的发展程度如何等。但是，我们真的能说GDP排名第一的国家就是好国家吗？大家都期待朝着这个方向发展吗？

15　GDP是Gross Domestic Product的缩写，即国内生产总值，指的是一个国家（或地区）所有常住单位在一定时期内生产活动的最终成果，GDP是国民经济核算的核心指标，也是衡量一个国家或地区经济状况和发展水平的重要指标。

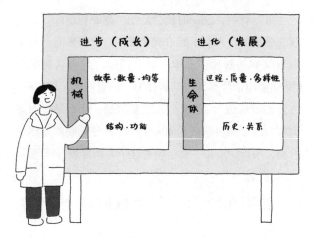

图6　一般认为进步和进化是相似的，实际却如此不同

事实上，被认为是发展中国家的不丹王国创建了一个指标——GNH[16]，而非GDP。他们的目标不是生产很多商品（product），而是成为一个让大家都感到幸福（happiness）的国家。他们用GNH表达了退出"进步"竞赛的意愿。

一个基于单一价值观，一切都用数值来衡量的社会会引发过度竞争。在学校里大家也是根据考试成绩进行排名，但不觉得过分执着于成绩非常不好吗？有

16　GNH是Gross National Happiness的缩写，即国民幸福指数，这一概念最早由不丹王国在20世纪70年代提出，旨在衡量国民的生活质量和幸福程度，不仅仅关注经济增长，而是更全面地考虑政府善治、经济增长、文化发展和环境保护等多个方面。

的人虽然不擅长数学，但是关心他人，和他在一起大家就会变得踏实安心，这样的人也很棒不是吗？也有虽然不擅长运动，马拉松跑到最后会气喘吁吁，但很擅长绘画的人吧。过分执着于数字和名次，恐怕会忽视无法用数字表达的人类的丰富心灵。真正丰富的生活，应该是不急于向前，拥有悠然自得的放松时间吧？

虽然是个极端的例子，听说生活在南非布须曼部落的人们一周只工作15个小时。和他们一起生活了25年的英国人詹姆斯·苏兹曼（James Suzman）[17]问道：了解真正的丰富的人难道不是他们吗？布须曼部落的人们过着这样的生活——在大自然中狩猎和采集，自由时间则用来享受岩画和故事的乐趣。我们无意于过这样的生活，但我想建议大家探索一种新的思维方式，不要过分执着于进步而一味匆忙前进。

追求进步和成长的现代社会面临着诸多问题，这里就不一一列举了。但大家都意识到，以大量生产和大量浪费支撑的社会将难以为继。我们必须承认，由于资源和能源的大量消耗，大量二氧化碳被排出，大气中的二氧化碳浓度上升，导致了近年的气候异常问题。科学的问题也在此显露。因为气候异常这一复杂现象涉及很多重要因素，所以无法像实验室中的科学

17　詹姆斯·苏兹曼，1970年出生于南非，国际知名人类学家。

实验一样呈现出明确的因果关系。因而也出现了一些极端发言，例如不需要在意科学无法证明的东西，等等。明明现在的科学无法解释自然界中的一切，但还是有很多人相信只有科学是正确的。以科学阐明它能够阐明的，并有效活用各种数据非常重要，我们不应该无视或者否定科学。但自然界非常复杂，现阶段很多东西都无法依靠科学给出正确的解答。不仅如此，还有一些事情是无法用科学解释的。面对自然的复杂性很重要。

此外，还必须谨记在心的是，我们生活的自然是一个名为地球的有限世界。在地球上生活着的我们今后要怎么做才能继续生活下去呢？实际上，这个有限的世界上有着存续了很长时间的事物——生物。生物发生了各种各样的变化，不断创造出新的生存方式，以多样的形式在地球上持续生存了约40亿年，与地球的寿命（约46亿年）十分接近。这背后的力量正是进化。将目光投向进化而非进步意义重大，而且关于我们人类是生物这一事实目前已经很清楚了。虽然当今的科学技术追求进步、扩张与成长，但仍有必要考虑别的道路。我认为，以进化为中心，意识到"人类是生物"这一事实，并在自然中好好地生活，不失为另一条备选之路。

从进化的角度思考吧

关于进化，我们一边看第42页的生命志画卷一边思考吧。地球上的生物起源于近40亿年前海洋中的微小细胞，并一直延续至今。追求进步、扩张与成长的社会陷入了困境，人们不由得对今后是否还能继续维持现状感到不安。而进化的持续时间和地球的寿命几乎相同，今后也很有可能持续下去。

你知道"SDGs"[18]这个词吗？ Sustainable 是可持续的意思，很多人开始意识到我们必须思考如何可持续性地生活下去。为了实现这个目标，我们必须重新审视迄今为止有关进步和成长的价值观，但目前可见的迹象还比较微弱。不改变价值观便很难持续下去。所以我想呼吁大家向存续了近40亿年的生物学习，因为我们也是生物的一分子。

那么，让我们来看看进化是如何进行的吧。进化的英文是evolution，字典里首先将其解释为"展开"，"evolve"这个动词本身就有"打开画卷"的意思。一打开卷轴，各种各样的生物便一个个呈现在眼前。请看前文中的生命志画卷，扇面最上部是如今的状况，多种多样的生物共存于此。进步就是大家竞争爬上同一个高度，最先到达顶部的最优秀，而进化有

---

18 SDGs 是 Sustainable Development Goals 的缩写，即可持续发展目标。

各种各样的选择。走昆虫轨迹的蚂蚁和作为哺乳动物进化的狮子生活方式不同，比较它们哪个更优秀毫无意义。只能说所有生物都充分利用各自的特质巧妙地活着，所以画卷中它们都位于扇面上方（最上面）。虽然各种生物在不同的道路上进化着，但也不能因此说它们是彼此孤立的，这一点很重要，生物之间有着千丝万缕的联系。地球上没有和其他生物毫无关系的存在。各种生物互相关联，在呈现多样性的同时以整体的形式存续着，这便是生态系统。

虽然进化和进步同样创造新的事物，但在进化的过程中以前的事物并没有消失，而是变得更多样，并将这种多样性保持了下去。换作机器则会大批量生产同一产品，不久之后就推出新的产品。汽车和电脑也是如此，新的更卓越，旧的就逐渐被抛弃。但在进化中，自古以来就存在的细菌今天仍然有其独特的价值，比如在人体内发挥着重要作用。人类和细菌由基本相同的DNA维持运转，这也是为什么细菌在我们体内也可以发挥作用。原本存在的事物一点一点变化，并增添新功能，而不是彻底变化。成为动物并获得大脑功能也是进化带来的变化。研究电脑的时候，我会因为它与先前的技术缺乏连续性而感到不安。难道没有必要向存续了近40亿年的生物学习吗？人类社会也一样，要重视发挥多样性，并将它保持下去。人类是生物，所以人类也有多样性。要意识到认为不能和他人不一样的想法是错误的。既各有不同也彼此相关，这才是生物。

地球上有多种多样的自然环境，理应存在匹配不同自然环境的生活方式。尽管如此，地球上所有地方都建造起了同样的大楼，所有人都过着同样的生活，不觉得很奇怪吗？日本有着美丽的自然风光，不仅四季分明，还有郁郁葱葱的山和广阔的大海。但另一方面，煤炭、石油等地下资源并不丰富。为了在这样的地方生活，本应充分利用太阳、水和森林等资源，构建一种独立的生活方式。充分利用日本这片土地的特征，生产出多样的食物来构建一个既保障健康又拥有丰富饮食文化的社会，这难道不是一种很好的生活方式吗？

但进步的价值观更期待一个统一型社会，因为那样更有效率。在发达国家，农业被视为落后产业，所以农业也走上了工业化发展道路。日本也是如此，不仅农业人口在减少，以热量为衡量基础的粮食自给率也仅达37%，放在世界范围内来看也非常低。日本国内生产的粮食无法满足国民需求，大部分粮食都依赖进口。顺便一提，加拿大的粮食自给率是264%，澳大利亚是224%，美国是130%，法国是127%。这些国家都是发达国家，都拥有大规模工业化的农业，但并没有忽视粮食生产。为什么日本没有更认真地思考食物问题呢？

比较进步和进化，可以看到线性思维和循环思维的区别。工业化生产把材料加工为便于使用的物品，使用到一定程度后便被人丢弃。垃圾越堆越多，如今甚至蔓延到了太空中。在地球周围的宇宙空间里，10厘米以上的太空垃圾有近两万个，如果算上更小的太空垃圾，则多达1亿个。太空垃圾其实是结束运行或发生故障的人造卫星、火箭发射后的上半段以及爆炸或撞击所产生的碎片等，它们以每秒7—8千米的速度移动着，所以即便是很小的碎片，撞击后也会产生巨大的冲击力。这些太空垃圾如果坠落的话会非常危险，因此现在解决太空垃圾问题也变得越来越重要。

另一方面，我们也要注意到，生物世界中的一切都是循环的。如今大气中二氧化碳的增加已然成为问题，这是因为人类活动排放了过多的二氧化碳，破坏了生态系统中的碳循环。自然界中有机物的燃烧、动物呼吸和火山暴发等排放出二氧化碳，随后通过植物和海中浮游生物的叶绿体再次转换成有机物，并在自然界中发挥作用。二氧化碳的生成和吸收处于平衡状态，形成了碳循环。在地球46亿年的漫长历史中，大气构成发生了巨大变化，但幸运的是，自人类诞生后大气状态便一直很稳定。随着人类生产活动的不断扩大，人们大量使用化石燃料，并为了土地开发而砍伐森林，因而导致了碳排放过量。眼下人类应当有效利用自然能源，以保持碳平衡。

必须注意的是，人类也是碳循环的一部分。最近人们经常使用"脱碳"这个词，也称"零碳"。不觉得这个词很奇怪吗？因为二氧化碳排放过量而反省，努力控制碳排放量当然很重要，但是包括人类在内的生物都是由碳化合物构成的，如果要脱碳，那我们应该怎么办呢？我只能认为"脱碳"这个词是那些从机械论角度思考，不关注生物的人想出来的。

我们不是不求新，而是要探索一条新的道路：关注多样性和循环，并思考如何构建一个大家都生机勃勃的社会。有关生物的科学研究成果对这方面有很大帮助。本书没有足够的篇幅详述生命科学的细节，但是生物在近40亿年间获得的智慧中有很多可供我们学习的内容。希望大家从中学习，认识到"人类是生物"这一事实，并充分利用自然，创造一个人人都可以尽情生活的社会。这便是我的愿望。

第7章

让我们向生物学习，
活出自己的样子吧

如今的科学技术社会无视科学所揭示的"人类是生物"这一事实，即便今后的生存可能会变得非常艰难，作为生物的人类仍旧一直保持着这种状态。因此，以"人类是生物"这一事实为基本前提，我提议充分利用生命志，创造一个大家可以生机勃勃地可持续生活下去的社会。下面就由我来为大家进一步阐释。

"众生物中的我"这一意识

前文已经提到过，作为拥有近40亿年共同历史的生物的一分子，人类存在于生命志画卷之中。但问题在于，到了现代社会，我们却经常忘记这一点。因此，让我们先从建立"众生物之中的我"这一意识开始吧（图7）。生命志画卷中的我与所有生物相联结，以这样的方式思考，作为生物之一的人类也能拥有"我们人类中的我"这一意识。

事实上，基因组研究表明，我们人类的祖先最初都生活在非洲，人口只有不到1万，如今生活在地球上的78亿人都是他们的子子孙孙。也就是说，"我们人类"这一表达恰如其实，"我们日本人""我们校友""我们家人"也是同样的道理。在思考自我的时候，我们一般从"我"开始，然后再到我们的家人并逐步延伸至其他，大多数人应该都是这样的吧。这样

图7 从"众生物之中的我"出发，我们会感到开阔而豁达。我是生活在无国界的、与宇宙相连的地球上的存在。

的思考方式容易让我们觉得"全人类"离自己非常遥远，与自己毫无关系。结果就是，我们可能会憎恶与自己想法不同的其他国家的人。越是在"外部"的人，我们越觉得他们离我们很远，和我们不同。但生命科学告诉我们，包括我们身边的昆虫与动植物在内，所有生物都是伙伴。因此，从大处开始思考才是了解我们真实本质的最好方法。不管多么亲密的朋友与亲人，也都会有争吵的时候，但即便意见不同，即便产生了很大的冲突，也不要忘记我们在根本上紧紧相连。如果能做到这一点，我们就不会仅仅因为国家和肤色的不同而憎恶他人，或武力入侵他国了。如果有冲突，就彻底沟通。（美味的食物和饮料有助于沟通哦。）

进化是现有事物的优化组合

与进步不同，进化的特征是变得多样化。不过即使变得多样，所有生物都有一个明确的共通点：它们都是由含有DNA的细胞构成的。让我们一起来看看细胞的分类吧。

一种细胞是原核细胞，和细菌一样仅以单细胞形式存在，另一种细胞是真核细胞。这些细胞聚合在一起，构成多细胞生物。我们人类是由真核细胞构成的，真核细胞内部有一个名为线粒体的结构，可以称为"能量工厂"。但事实上，线粒体原本是善于生产能量的原核细胞，被纳入真核细胞之中后与之共生。也就是说，生物活动所必需的能量自古以来都是以同样的方式产生的。运动时所使用的肌肉细胞也好，思考时使用的脑细胞也好，都是基于相同的基本原理，只是各自逐渐增加了一些必要的功能。多样以共通为基础，在共通的基础上孕育出多样，这就是生物系统，生物的相通指的也正是这种状态。由此可见，"我们"这一视点很重要。

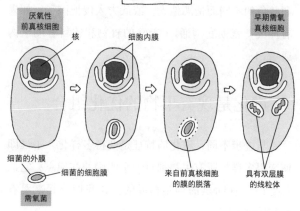

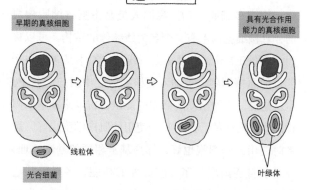

图8 与线粒体共生的真核细胞进一步吸取光合细菌成为植物细胞。生物的基础是细胞，它们创造了一个优秀的系统：通过共生继续存活在自然界中。

在进化的过程中，单细胞生物除了产生擅长生产能量的种类外，还诞生了拥有奇妙新功能的种类——属于光合细菌的蓝细菌（cyanobacteria）。

光合细菌中有类似叶绿体的结构，其中的叶绿素吸收光能，把二氧化碳和水转化成葡萄糖，并向外释放出氧气，这一反应叫作光合作用。光合作用将空气中的碳转化成糖的过程叫固碳。光合作用产生的糖会转化成氨基酸和脂肪酸等，它们是产生蛋白质和脂肪，并构成我们生物身体的原材料。可以说，生物生存所必需的物质（碳水化合物）都是由光合作用产生的。这一反应无法通过现在的科学技术实现，这是切不可忘记的事。

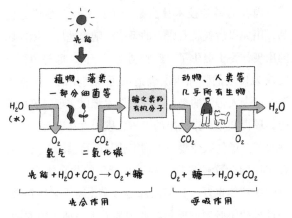

图9 光合作用将二氧化碳转化成碳水化合物。目前的科学技术无法实现这一反应。

　　　　　第7章　让我们向生物学习，活出自己的样子吧

动物细胞，以及吸收光合细菌的植物细胞中都含有线粒体。植物利用光能制造出碳水化合物，碳水化合物作为食物被我们摄入，并转化为生命所需的能量和构成身体的物质。请允许我重复一次，光合作用、固碳等反应是无法依靠如今的科学技术实现的。"脱碳社会"这个词是忘记人类是生物，一味推进科学技术的人构想出来的。碳水化合物是生物的重要组成部分，不要忘记眼下最重要的事是如何更好地利用它，使其有效循环。如图10所示，生产我们所必需物质的场所呈圆形，是一个循环。这个循环中的一切都被生物利用，唯一的废弃物是二氧化碳。动物呼出的二氧化碳则成为光合作用的材料，这也是循环的一部分。

现在的科学技术社会是一个只专注于生产必需品，用完以后就将其废弃的系统。随着地球环境问题的出现，终于诞生了"回收利用"一词，即努力将一度成为垃圾的物品再次改造成可以使用的。这很重要，但令人苦恼的是，如今的技术难以实现二氧化碳的循环再利用。排放出的二氧化碳一直在积蓄，结果导致了全球气候变暖。生物本就是循环性的，进行光合作用的叶绿体也好，利用其产生的化合物生成能量的线粒体也好，其存在都是为了让物质循环起来，并且只产生必要的能量。如果都处于循环之中的话，也就没有回收的必要了，也就是说自然界原本没有

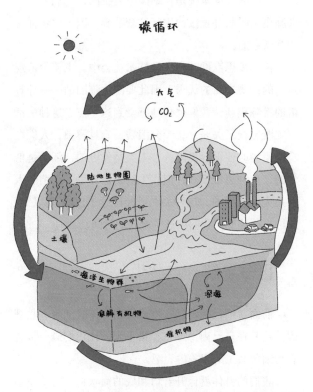

图10 二氧化碳通过光合作用成为碳水化合物。碳水化合物是生物身体的构成材料，通过生物的呼吸还原成二氧化碳。碳以各种形态在自然中循环。

垃圾。

　　物质的循环系统是在细菌中诞生的，我们人类的细胞也是吸收并直接使用了这套系统，因为生物都是相互联系的。

　　在进步思维推动的科学技术社会中，主流价值观是旧的低劣、新的优秀。因此要淘汰陈旧的——计算机的推陈出新让我们强烈地感受到这一点。这种生活方式既忽视了关联，也十分浪费。一旦习惯，人们在看待生物时便很容易陷入"人类是先进的，细菌是低劣的"这种思维模式。但在生物的世界里，细菌和人类是完全联通的，这种关联已经持续了20亿年以上。共生与循环支撑我们度过了漫长的时间。

再多了解一点共生

　　前面我们已经讲过，构成我们身体的细胞吸收细菌并让其在自己内部共生。接下来，让我们进一步看看与细菌共生的相关内容吧。

　　我们的身体就像开着口和底的筒状物。身体正中央从嘴巴到肛门是连续的孔状构造。"筒"的外侧是皮肤，内侧的嘴巴、喉咙、胃、肠等都和外界相连，各种各样的东西通过这些部位进入身体。你们是否意识到内侧也是外侧呢？近年来，关于"筒"内侧的细菌，特别是肠道细菌的研究取得了不少进展。据说我们的身体是由约37兆个细胞构成的，而肠道就栖息着约100兆个细菌，数量多达1000种。细菌细胞很小，虽然数量众多，但重量仅1kg左右，所以请放心。但是这个数字实在惊人，细菌的DNA也令人惊叹。诚然，从父母那里继承的基因组在我们体内发挥作用，支撑着我们的生命。但细菌的基因组也在我们体内发挥作用，所以也必须将细菌一并纳入"我"的范畴。细菌是内部的"我"的一部分（图11）。细胞是以与

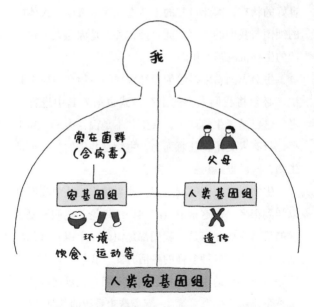

图11 "我"从父母那里获得人类基因组，体内共生的细菌也有各自的基因组。从更广义上讲，细菌的基因组也是"我"的一部分。

细菌共生的形态存在的，"我"作为个体也显然是以共生的形态存在的。

共生细菌主要分为有益菌、有害菌和条件致病菌三种。有益的是乳酸菌、双歧杆菌等，有害的是恶性的大肠杆菌等，数量最多的是时而有益、时而有害的条件致病菌，如产气荚膜梭菌。世界就是这样。如果没有有益的细菌发挥作用，就很难保证身体健康，人们会很容易患上肥胖、糖尿病、动脉硬化、炎症性肠病、大肠癌等。我们可以通过合理饮食和运动等保持良好的状态，因此日常的生活方式非常重要。人体内的细菌与我们的健康如此直接相关，是因为人类和细菌的生存机制基本相同。

生命志画卷中描绘的多种多样的生物在地球上共生，必须将我们人类的生存方式也纳入其中进行思考，这已是老生常谈了。共生并不是说，为了一起生存，只有人类不得任意而为。生物是共生的，人类是生物，所以也是共生的一分子。

生物科学研究发展迅速，成果颇丰，从中我们可以学到很多，但这里没有时间详细讨论。我们需要了解的最基本的一点是，我们都是由同一个祖先进化而来，并产生了多种多样的生活方式，我们一点点改变着原本已存在的事物，将它们重新组合，进而创造出了整个系统（生态系统），支撑这个系统的就是共生。共生并非仅指共存，还意味着充分发挥各自的特征，共同创造出新的生活方式。仅从这一点出发，我们就能看到与一味追求成长、在单一价值观下竞争所不同的新的生活方式。

第8章

———

从现在开始，
向生物学习

最后，为了思考今后的生活方式，让我们简单总结一下目前已讨论过的内容。现在的科学技术社会基于机械论的价值观，也就是以只有进步才能构建好的社会这一理念为主导，目的是"更便利"。但"人类是生物"这一事实已经被科学证明，而且我们也很清楚便利（高效率、不花费精力、按想法行事）是不符合生物的生存方式的。有必要从生命论的角度进行思考。熟练使用便利的机器是必要的，不用全盘否定便利，但将社会的价值观建立在"进步"之上并不适用于作为生物而存在的人类。

生物因进化而多样，并与其他生物共生，我们应该开发支持这种生活方式的技术，创造一个便于生物生活的社会。

生物告诉我们，人类作为"众生物之中的我"，应该与多种多样的生物一起生活在循环之中。活着就是编织时间，所以要重视活在当下，认真积累每一个过程。欲速则不达，不要忙于竞争，不必急于记住知识，而要认真凝视现实，常怀疑问，独立思考，创造新的思考方式。

机器会按计划运转，但是生物很难依照我们的意愿行事。不依照意愿行事就可以断定它不好吗？当然，约定是必要的，在生物的世界里也是如此。但生物之间的约定是有灵活性的。当你认为事情没有按照预期进行的时候，未曾料想的事情诞生了，一个新的世界就此打开。不仅仅是生物界，迄今为止的科学技术中也有很多这样的例子。

生物是复杂且充满矛盾的

大家经常使用便利贴的吧？你可以将它贴在任何地方，用来标记你想记住的事情，然后再揭掉，非常方便。这个发明萌生于一个令人意想不到的场合。在开发强力黏合剂的过程中，人们开发出了一种很好粘又很容易脱落的黏合剂。但容易脱落的黏合剂是不合格的。如果止步于此的话，之后也就不会发生任何事情了，但开发人员努力对其中的缘由进行了一番调查。就这样，开发人员发现黏合剂的分子是粒状的，粘贴时粒状分子被碾平，因而可以粘住。有趣的是，被当作失败产品的黏合剂被揭下来时，其分子又会恢复到原本的粒状。也就是说，还可以再次使用。是否可以利用这一点呢？最开始人们想到的是将其用于书签上，后来又扩展出了如今的用途。

立即脱落的黏合剂不行——不是这样的。人类也同样如此，不要对自己不擅长或没有做好的事立即下定论说"不行"。

当我们尝试从意料之外的事情中学习的时候，会发现一些对生物而言偏离常识的例子。我们来看一个例子吧。

虽然人类深受病毒肆虐之苦，但有生物的地方就一定有病毒，我们必须巧妙应对。面对病毒时，我们身体的免疫力发挥了积极作用。免疫不仅能抵抗病毒，对环境中的异物也有着应对能力，其中能够捕获异物并收纳异物的受体发挥着积极作用。环境中有着各种各样的异物，我们不知道哪一种异物会在什么时候进入我们的身体。解决这种情况的办法有二：一是针对进入身体的异物创造受体；二是针对每一种异物提前准备好受体。但异物的数量多达100万到1亿种，针对每一种异物事先单独准备受体是不可能的，所以只能使用前一种方法。我们生活在一个重视效率的社会，然而每天都有大量未被使用的细胞死去，这是多么浪费，多么徒劳啊。但正因为这样，我们的身体才得以被守护，人类才可以维持生命。这告诉我们：如果想要继续下去，就不能妄下定论，认为徒劳是无益的。

我们的身体就是这样形成的。一言以概之，生物是复杂而充满矛盾的。机械世界是理性的，没有矛盾的，所有的一切都可以被判断正误，区分好坏。生物却不是这样。日常生活中虽然有重视生命的原则，但是不取用动植物的生命，我们的一日三餐就无法维持。我们必须"取用"生命，这很重要，而从成为食物的生物角度来看，就是被掠夺了生命。生物的世界就是这样构成的，重要的是我们要有接受这种矛盾并生活下去的觉悟。

我们身边有很多尚未被阐明的事，科学也没有办法解释一切。我认为重要的是以一种谦虚的态度去面对不懂的事，并保持思考。很多事情我们甚至连有没有答案都不知道。生活在这个追求快速获取答案的社会，我们不擅长面对不明白的事情。我想，如果我们能养成即使麻烦也不慌不忙地思考的习惯，那我们的社会也许会成为一个更稳健的社会吧。

现代社会面临着很多问题，这在第4章中已有提及。如果不能解决这些问题，人类便很难继续生存下去。而解决问题的关键就在于我们。我认为很有必要在科学所揭示的"人类是生物"这一事实的基础上，充分重视多样性，花时间寻找不局限于进步这一条道路的多种多样的生活方式。就像我在本书中所介绍的，我提议大家思考生命志，将看待问题的角度从机械论转向生命论，并在"人类是生物"这一事实的基础上进行技术开发和社会建设。思考、对话、尝试新事物，我们应该做的还有很多，要不要一起试着探索新的道路呢？

迈向进化型社会

但是，如果看看世界的最新动向，我们会发现如今人们开始关注生物，不再像以前一样一味只追求进步。以农业为例，我们之前已经提到过，日本在迈向工业化国家的过程中降低了农业自给率，但考虑到未来的社会，眼下由我们自己生产食物比以往任何时候都更加重要。迄今为止的农业都是通过规模化、机械化以及农药和化肥的使用来推进的，但这种做法会导致环境破坏。因此，许多国家目前正致力于研究如何利用生物的力量来发展农业。

让我为大家介绍其中一个案例吧。现在，全世界有800多万人开始着手于"生态农业"，其中也包括非洲农民。氮对于培育农作物的土壤来说是不可或缺的。过去，工业化的农业使用化肥来补充氮，但是非洲南部马拉维共和国的人们会先通过种植豆科植物来增加土壤中的氮含量。豆科植物可以固定空气中的氮，并将其储存在土壤之中。试验结果发现，木豆和落花生的组合改良土壤的效果最好。改良后的土壤产出的作物不仅能够满足农民食用所需，还可以在市场上出售。高大的玉米、缠绕玉米的四季豆和玉米根部的南瓜被称为"三姐妹"，是颇受欢迎的人气组合。玉米是主食之一，豆类能提供氮，南瓜的宽大叶子可以遮蔽阳光并抑制杂草生长，南瓜花可以引来益虫，并抑制害虫的入侵。人们充分利用各种植物的特性，创建了没有肥料和除草剂的农业，并持续使用这一方法让土地变得肥沃，不仅收获了大量蔬菜，还有富余的产出用于出售。这里至关重要的是多样性。追求进步的农业生产的作物种类有限，虽然这些作物经济价值较高，但赚来的钱被用于大量购入肥料、农药和除草剂等，最终也无法致富。生态农业下的生态系统变得丰富，农业发展稳定，人们的生活也更加安定。这样的农业发展模式不只在马拉维获得了成功，在非洲各地，甚至在被2008年飓风侵袭后的古巴，也收获了良好的反响。此外，生态农业在法国也备受瞩目，据说现在全球有数亿农民都在朝着这个方向发展。

在马拉维，发挥先导性作用的是女性。虽然是父权制处于支配地位的社会，但近年来男性也逐渐开始承担做饭等家务活，社会正在发生变化。一直被称为发展中国家、受发达国家援助的地区的女性正在通过充分利用生物的生态农业自立，并逐步改变社会。这些变化都是小规模且多样化的，也就是说，是进化型而非进步型的变化。虽然主导全球金融的国家和组织还没有注意到这里，但是我认为在并不遥远的未来，它们必定会意识到这是一种进化型发展模式。这个例子只是诸多尝试之一。当然，这里还有很多今后必须解决的问题，我认为考虑整个生态系统而不仅仅是有机农业这个有限的切入口会更有潜力。

现在的科学技术社会是以信息产业和工业等为主导的机械世界，但农业与自然打交道，不是依循机械论发展的。最近的研究显示，人类生发"只有人才是特别的"这种意识大约是在1万年前，正是农业开始萌芽的时期。本书将重视"众生物中的我"这种意识追溯至17世纪的科学革命或许并不充分。回顾近40亿年的生物历史和人类历史，特别是从近1万年前人类开启农业这一专属活动开始重新思考是非常重要的。必须思考的事情还有很多很多，但这次就暂且到此为止，请大家一定要好好思考。

如果本书可以成为大家思考"人类是什么？""我们应该如何生活？"的契机，我会非常欣喜。如今，各种人类活动正被重新审视，世界上许多地方可能已经向进化型社会迈进了，大家不妨试着调查一番。

今后的社会建设就交给大家了。当然，我们这些构建进步型社会的成年人也有责任支持年轻人，我们很乐意提供帮助。

大家想构建一个每个人都积极努力生活的快乐社会吗？虽然这绝非易事，但是"众生物之中的我"这种生活方式让我们的内心充满平静，不妨先从慢慢思考开始吧。

产品经理：李芳铃
视觉统筹：马仕睿 @typo_d
印制统筹：赵路江
美术编辑：梁全新
版权统筹：李晓苏
营销统筹：好同学

豆瓣 / 微博 / 小红书 / 公众号
搜索「轻读文库」

mail@qingduwenku.com